C000217563

Un personnage de Thierry Courtin
Couleurs : Sophie Courtin

Loi n° 49-956 du 16 juillet 1949
sur les publications destinées à la jeunesse,
modifiée par la loi n° 2011-525 du 17 mai 2011.
© 1999 Éditions NATHAN, SEJER,
25 avenue Pierre de Coubertin, 75013 Paris, France
ISBN : 978-2-09-202080-7
Achevé d'imprimer en janvier 2016
par Lego, Vicence, Italie
N° d'éditeur : 10220248 - Dépôt légal : octobre 1999

T'choupi
fête son anniversaire

Illustrations
de Thierry Courtin

– Ça y est, maman, je suis grand ! J'ai trois ans !
– Tu sais T'choupi, Lalou et Pilou viennent fêter ton anniversaire cet après-midi. On va décorer la maison.

– Je mets un ballon, là.
C'est beau comme ça,
hein papa ?
– Oui, mon grand
T'choupi, tu nous as
bien aidés.

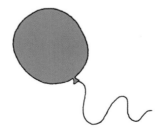

À trois heures, Pilou
et Lalou arrivent.
– Bonjour, dit T'choupi.
Je peux ouvrir mes cadeaux
tout de suite ?
– Allez d'abord jouer
un peu, dit maman.

T'choupi, Pilou et Lalou
courent dans le jardin.
– Regardez ! Papa
a préparé une pêche
à la ligne ! s'écrie T'choupi.

– Oh oh ! J'ai pêché
un gros poisson !
dit T'choupi.
– Moi aussi ! dit Pilou.
Il est tout plein
de bonbons !

– Venez goûter ! appelle
maman.
– Le gâteau ! s'exclame
T'choupi. Vous allez voir,
il est très gros. J'ai vu
le carton dans le frigidaire.

T'choupi et ses amis
s'assoient autour
de la table. Soudain,
la lumière s'éteint.
– J'ai peur du noir,
gémit Lalou.

– Joyeux anniversaire,
T'choupi !
– Je vais éteindre toutes
les bougies en une seule
fois ! dit T'choupi
et il souffle très fort.

Papa rallume la lumière.
– T'choupi, tu as
du gâteau sur le nez !
dit Lalou.
– Et voici les cadeaux !
annonce maman.

– C'est super,
les anniversaires !
Quand est-ce que j'aurai
quatre ans ?